El libro de cocina completo de la freidora de aire Keto

Recetas para todos los días, desde principiantes hasta avanzados. Asombrosas y Crujientes Recetas para Hornear, Asar y Cocinar a la Parrilla. Prevenga la Hipertensión, sanee su cuerpo y aumente el metabolismo.

Tanya Hackett

Índice de contenidos

—

Además, la transmisión, duplicación o reproducción de cualquiera de las siguientes obras, incluida la información específica, se considerará un acto ilegal, independientemente de si se realiza de forma electrónica o impresa. Esto se extiende a la creación de una copia secundaria o terciaria de la obra o de una copia grabada y sólo se permite con el consentimiento expreso por escrito de la Editorial. Todos los derechos adicionales están reservados.

La información contenida en las siguientes páginas se considera, en términos generales, una exposición veraz y exacta de los hechos y, como tal, cualquier falta de atención, uso o mal uso de la información en cuestión por parte del lector hará que cualquier acción resultante sea únicamente de su incumbencia. No existe ningún escenario en el que el editor o el autor original de esta obra puedan ser considerados de alguna manera responsables de cualquier dificultad o daño que pueda ocurrirles después de emprender la información aquí descrita.

Además, la información contenida en las páginas siguientes tiene únicamente fines informativos, por lo que debe considerarse universal. Como corresponde a su naturaleza, se presenta sin garantía de su validez prolongada ni de su calidad provisional. Las marcas comerciales que se mencionan se hacen sin el consentimiento por escrito y no pueden considerarse en modo alguno como un respaldo del titular de la marca.

Introducción

La freidora de aire es un aparato de cocina relativamente nuevo que ha demostrado ser muy popular entre los consumidores. Aunque hay muchas variedades disponibles, la mayoría de las freidoras de aire comparten muchas características comunes. Todas tienen elementos calefactores que hacen circular aire caliente para cocinar los alimentos. La mayoría vienen con ajustes preprogramados que ayudan a los usuarios a preparar una amplia variedad de alimentos.

La fritura al aire es un estilo de cocina más saludable porque utiliza menos aceite que los métodos tradicionales de fritura. Además de conservar el sabor y la calidad de los alimentos, reduce la cantidad de grasa utilizada en la cocción. La fritura al aire es un método común para "freír" alimentos que se elaboran principalmente con huevos y harina. Estos alimentos pueden quedar blandos o crujientes a su gusto utilizando este método.

Cómo funcionan las freidoras de aire

Las freidoras de aire utilizan un soplador para hacer circular aire caliente alrededor de los alimentos. El aire caliente calienta la humedad de los alimentos hasta que se evapora y crea vapor. A medida que el vapor se acumula alrededor de los alimentos, crea una presión que extrae la humedad de la superficie de los alimentos y la aleja del centro, formando pequeñas burbujas. Las burbujas crean una capa de aire que rodea el alimento y crea una corteza crujiente.

Elegir una freidora de aire

A la hora de elegir una freidora de aire, busque una que tenga buenas opiniones sobre la satisfacción de los clientes. Comience por las características que necesita, como la potencia, el tamaño de la capacidad y los accesorios. Busque una que sea fácil de usar. Algunas freidoras de aire del mercado tienen un temporizador incorporado y una temperatura ajustable. Busque una que tenga un embudo para recoger la grasa, una cesta apta para el lavavajillas y piezas fáciles de limpiar.

Cómo utilizar una freidora de aire

Para obtener los mejores resultados, precaliente la freidora de aire a 400 F durante 10 minutos. El precalentamiento de la freidora de aire permite alcanzar la temperatura adecuada más rápidamente. Además, precalentar la freidora de aire es esencial para asegurar que su comida no se queme.

Cómo cocinar cosas en una freidora de aire

Si aún no tienes una freidora de aire, puedes empezar a jugar con tus hornos echando unas patatas fritas congeladas y cocinándolas hasta que se doren uniformemente. Dependiendo de tu horno, echa un vistazo a la temperatura. Puede que tengas que aumentar o disminuir el tiempo.

¿Qué alimentos se pueden cocinar en una freidora de aire?

Huevos: Aunque puedes cocinar huevos en una freidora de aire, no lo recomendamos porque no puedes controlar el tiempo y la temperatura de cocción con tanta precisión como con una sartén tradicional. Es mucho más fácil que los huevos se cocinen de forma desigual. Tampoco puedes añadir salsas o condimentos y no obtendrás bordes dorados y crujientes.

Alimentos congelados: Generalmente, los alimentos congelados se cocinan mejor en el horno convencional porque necesitan alcanzar una determinada temperatura para cocinarse correctamente. La freidora de aire no es capaz de alcanzar temperaturas que hagan que los alimentos se cocinen completamente.

Alimentos deshidratados: Los alimentos deshidratados requieren una fritura profunda, algo que no se puede hacer con una freidora de aire. Cuando se trata de cocinar alimentos deshidratados, la freidora de aire no es la mejor opción.

Verduras: Puedes cocinar verduras en una freidora de aire, pero tienes que asegurarte de que la freidora de aire no está ajustada a una temperatura que las queme.

Para asegurarse de que las verduras no se cocinan en exceso, ponga en marcha la freidora de aire con la cesta apagada, y luego eche las verduras una vez que el aire se haya calentado y ya no haya puntos fríos. Asegúrese de remover las verduras cada pocos minutos. Cocinarlas en la cesta también es una opción, pero pueden pegarse un poco.

Patatas fritas: Freír las patatas fritas en una freidora de aire es una buena manera de conseguir patatas fritas crujientes y doradas sin añadir mucho aceite. En comparación con la fritura convencional, la fritura al aire libre aporta menos calorías.

Para cocinar las patatas fritas en una freidora de aire, utilice una cesta o una rejilla y vierta suficiente aceite para que llegue hasta la mitad de la altura de las patatas. Para obtener los mejores resultados, asegúrese de que las patatas fritas estén congeladas. Ponga la freidora de aire a 400 grados y programe 12 minutos. Si las quiere muy crujientes, puede programar 18 minutos, pero pueden quemarse un poco.

Beneficios de una freidora de aire:

- Es una de las formas más fáciles de cocinar alimentos saludables. Si se utiliza 4 o 5 veces por semana, es una opción más saludable que freír con aceite en el horno convencional o utilizar alimentos enlatados.

- Las freidoras de aire son una forma fácil de servir comida sabrosa que no ocupa mucho espacio. Las freidoras de aire permiten cocinar el triple de comida que en el microondas.

- Las freidoras de aire ocupan poco espacio y se pueden guardar en un armario cuando no se utilizan.

-Son aparatos de cocina versátiles. Puedes utilizarlos para cocinar alimentos para el almuerzo, la cena y los aperitivos.

- Las freidoras de aire requieren poco o ningún esfuerzo en la cocina. Puedes usarlas con la tapa puesta, lo que significa que hay que lavar menos.

Tomates al pesto

Tiempo de preparación: 5 minutos

Tiempo de cocción: 10 minutos

Porciones: 4

Ingredientes:

- Tomates grandes tipo heirloom: 3, cortados en rodajas de ½ pulgada de grosor.
- Pesto: 1 taza

- Queso feta: 8 onzas cortadas en rodajas de ½ pulgada de grosor
- Cebolla roja: ½ taza, cortada en rodajas finas
- Aceite de oliva: 1 cucharada.

Direcciones:

1. Untar cada rodaja de tomate con un poco de pesto. Cubrir cada rodaja de tomate con una rodaja de feta y una cebolla y rociar con aceite.
2. Coloque los tomates en la rejilla engrasada y rocíelos con spray de cocina. Coloque la bandeja de goteo en la parte inferior de la cámara de cocción del horno Instant Vortex Air Fryer.
3. Seleccione "Air Fry" y luego ajuste la temperatura a 390 °F. Ajuste el tiempo a 14 minutos y pulse "Start". Cuando la pantalla muestre "Add Food" inserte la rejilla en la posición central.
4. Cuando la pantalla muestre "Turn Food" no gire los alimentos. Cuando el tiempo de cocción haya terminado, retire la rejilla del horno Vortex. Sirva caliente.

La nutrición:

Calorías 480,

Carbohidratos 13g,

Grasa 41,9g,

Proteína 15.4g

Patatas sazonadas

Tiempo de preparación: 5 minutos

Tiempo de cocción: 40 minutos

Raciones: 2

Ingredientes:

- Patatas rústicas: 2, fregadas
- Mantequilla: ½ cucharada de mantequilla derretida
- Condimento de mezcla de ajo y hierbas: ½ cucharadita.
- Ajo en polvo: ½ cucharadita.
- Sal, según sea necesario

Direcciones:

1. En un bol, mezclar todas las especias y la sal. Con un tenedor, pinchar las patatas.
2. Untar las patatas con mantequilla y espolvorear con la mezcla de especias. Colocar las patatas en la rejilla de cocción.

3. Coloque la bandeja de goteo en la parte inferior de la cámara de cocción del horno Instant Vortex Air Fryer. Seleccione "Air Fry" y luego ajuste la temperatura a 400 °F. Ajuste el tiempo a 40 minutos y pulse "Start".

4. Cuando la pantalla muestre "Add Food" inserte la rejilla de cocción en la posición central. Cuando la pantalla muestre "Girar alimentos" no haga nada. Una vez terminada la cocción, retire la bandeja del Horno Vortex. Sirva caliente.

La nutrición:

Calorías 176,

Carbohidratos 34,2g,

Grasa 2,1g,

Proteína 3.8g

Calabacín picante

Tiempo de preparación: 10 minutos

Tiempo de cocción: 15 minutos

Porciones: 4

Ingredientes:

- Calabacín: 1 lb. cortado en rodajas de ½ pulgada de grosor a lo largo
- Aceite de oliva: 1 cucharada.
- Ajo en polvo: ½ cucharadita.
- Pimienta de Cayena: ½ cucharadita.

- Sal y pimienta negra molida, según sea necesario

Direcciones:

1. Poner todos los ingredientes en un bol y removerlos para cubrirlos bien. Coloca las rodajas de calabacín en una bandeja de cocción.

2. Coloque la bandeja de goteo en la parte inferior de la cámara de cocción del horno Instant Vortex Air Fryer. Seleccione "Air Fry" y luego ajuste la temperatura a 400 °F. Ajuste el tiempo a 12 minutos y pulse "Start".

3. Cuando la pantalla muestre "Add Food" introduzca la bandeja de cocción en la posición central. Cuando la pantalla muestre "Girar alimentos" no haga nada. Una vez terminada la cocción, retire la bandeja del Horno Vortex. Sirva caliente.

La nutrición:

Calorías 67,

Carbohidratos 5,6g,

Grasa 5g,

Proteína 2g

Calabaza amarilla sazonada

Tiempo de preparación: 5 minutos

Tiempo de cocción: 10 minutos

Porciones: 4

Ingredientes:

- Calabaza amarilla grande: 4, cortadas en rodajas
- Aceite de oliva: ¼ de taza
- Cebolla: ½, cortada en rodajas
- Condimento italiano: ¾ de cucharadita.
- Sal de ajo: ½ cucharadita.
- Sal sazonada: ¼ de cucharadita.

Direcciones:

1. En un bol, mezcle todos los ingredientes. Coloque la mezcla de verduras en la bandeja de cocción engrasada. Coloque la bandeja de goteo en la parte inferior de la cámara de cocción del horno Vortex Instant Air Fryer.

2. Elija "Air Fry" y luego ajuste la temperatura a 400 °F. Ajuste el tiempo a 10 minutos y pulse "Start". Cuando la pantalla muestre "Add Food" inserte la bandeja de cocción en la posición central.
3. Cuando la pantalla muestre "Turn Food" gire las verduras. Una vez terminada la cocción, retire la bandeja del Horno Vortex. Sirva caliente.

La nutrición:

Calorías 113,

Carbohidratos 8,1g,

Grasa 9g,

Proteínas 4,2g

Espárragos con mantequilla

Tiempo de preparación: 5 minutos

Tiempo de cocción: 10 minutos

Porciones: 4

Ingredientes:

- Espárragos frescos y gruesos 1 lb. recortados
- Mantequilla: 1 cucharada de mantequilla derretida
- Sal y pimienta negra molida, según sea necesario

Direcciones:

1. Ponga todos los ingredientes en un bol y mézclelos bien. Coloque los espárragos en una bandeja de cocción. Coloca la bandeja de goteo en la parte inferior de la cámara de cocción del horno Instant Vortex Air Fryer. Selecciona "Air Fry" y ajusta la temperatura a 350 °F. Ajuste el tiempo a 10 minutos y pulse "Start". Cuando la pantalla muestre "Add Food" introduzca la bandeja de cocción en la posición central. Cuando la pantalla muestre "Turn Food" gire los espárragos. Una vez terminada la cocción, retire la bandeja del horno Vortex. Sirva caliente.

La nutrición:

Calorías 64,

Carbohidratos 5,9g,

Grasa 4g,

Proteína 3.4g

Brócoli con mantequilla

Tiempo de preparación: 5 minutos

Tiempo de cocción: 15 minutos

Porciones: 4

Ingredientes:

- Flores de brócoli: 1 lb.

- Mantequilla: 1 cucharada de mantequilla derretida

- Copos de pimienta roja: ½ cucharadita triturada

- Sal y pimienta negra molida, según sea necesario

Direcciones:

1. Reúna todos los ingredientes en un bol y mézclelos para cubrirlos bien. Coloque los ramilletes de brócoli en la cesta del asador y coloque la tapa. Coloca la bandeja de goteo en la parte inferior de la cámara de cocción del horno Instant Vortex Air Fryer. Seleccione "Air Fry" y luego ajuste la temperatura a 400 °F.
2. Fije el tiempo en 15 minutos y pulse "Inicio". A continuación, cierre la puerta y toque "Girar".
3. Cuando la pantalla muestre "Añadir comida", coloque la cesta del asador sobre el asador. Luego, cierre la puerta y toque "Rotar". Cuando el tiempo de cocción se haya completado, presione la palanca roja para liberar la varilla. Retire del Horno Vortex. Sirva inmediatamente.

La nutrición:

Calorías 55,

Carbohidratos 6,1g,

Grasa 3g,

Proteínas 2,3g

Zanahorias sazonadas con judías verdes

Tiempo de preparación: 5 minutos

Tiempo de cocción: 10 minutos

Porciones: 4

Ingredientes:

- Judías verdes: ½ lb. recortadas
- Zanahorias: ½ lb. peladas y cortadas en bastones
- Aceite de oliva: 1 cucharada.
- Sal y pimienta negra molida, según sea necesario

Direcciones:

1. Reúna todos los ingredientes en un bol y mézclelos para cubrirlos bien. Coloque las verduras en la cesta del asador y coloque la tapa. Coloque la bandeja de goteo en la parte inferior de la cámara de cocción del horno de la freidora de aire Instant Vortex.

2. Elija "Air Fry" y luego ajuste la temperatura a 400 °F. Ajuste el tiempo a 10 minutos y pulse "Inicio".

3. A continuación, cierre la puerta y toque "Girar". Cuando la pantalla muestre "Add Food", coloque la cesta del asador sobre el asador. A continuación, cierre la puerta y toque "Girar". Cuando el tiempo de cocción se haya completado, presione la palanca roja para liberar la varilla. Retire del Horno Vortex. Sirva caliente.

La nutrición:

Calorías 94,

Carbohidratos 12,7g,

Grasa 4,8g,

Proteína 2g

Batata con brócoli

Tiempo de preparación: 5 minutos

Tiempo de cocción: 20 minutos

Porciones: 4

Ingredientes:

- Batatas medianas: 2, peladas y cortadas en cubos de 1 pulgada
- Cabeza de brócoli 1, cortada en ramilletes de 1 pulgada
-                             Aceite vegetal: 2 cucharadas.

- Sal y pimienta negra molida, según sea necesario

Direcciones:

1. Engrasa una fuente de horno que quepa en el horno Vortex Air Fryer. Reúna todos los ingredientes en un bol y mézclelos bien. Coloque la mezcla de verduras en la fuente de horno preparada en una sola capa. Coloca la bandeja de goteo en la parte inferior de la cámara de cocción del Horno Vortex Air Fryer. Seleccione "Asado" y luego ajuste la temperatura a 415 °F.
2. Programe el tiempo para 20 minutos y pulse "Inicio". Cuando la pantalla muestre "Añadir alimentos" introduzca la bandeja de horno en la posición central. Cuando la pantalla muestre "Turn Food" gire las verduras. Cuando termine el tiempo de cocción, retire la fuente de horno del Horno Vortex. Sirva caliente.

La nutrición:

Calorías 170,

Carbohidratos 25,2g,

Grasa 7,1g,

Proteína 2.9g

Verduras de temporada

Tiempo de preparación: 5 minutos

Tiempo de cocción: 12 minutos

Porciones: 4

Ingredientes:

- Zanahorias pequeñas: 1 taza
- Ramilletes de brócoli: 1 taza
- Flores de coliflor: 1 taza
- Aceite de oliva: 1 cucharada.
- Condimento italiano: 1 cucharada.

- Sal y pimienta negra molida, según sea necesario

Direcciones:

1. Reúna todos los ingredientes en un cuenco y mézclelos bien. Coloque las verduras en la cesta del asador y coloque la tapa.
2. Coloque la bandeja de goteo en la parte inferior de la cámara de cocción del horno Instant Vortex Air Fryer. Seleccione "Air Fry" y luego ajuste la temperatura a 380 °F.
3. Ajuste el tiempo a 18 minutos y pulse "Inicio". A continuación, cierre la puerta y toque "Girar". Cuando la pantalla muestre "Añadir alimentos", coloque la cesta del asador en el asador. A continuación, cierre la puerta y toque "Girar". Cuando el tiempo de cocción se haya completado, presione la palanca roja para liberar la varilla. Retire del Horno Vortex. Sirva.

La nutrición:

Calorías 66,

Carbohidratos 5,7g,

Grasa 4,7g,

Proteína 1,4g

Gratinado de patatas

Tiempo de preparación: 5 minutos

Tiempo de cocción: 20 minutos

Porciones: 4

Ingredientes:

- Patatas grandes: 2, cortadas en rodajas finas
- Nata: 5½ cucharadas.
- Huevos: 2

- Harina común: 1 cucharada.
- Queso Cheddar: ½ taza, rallado

Direcciones:

1. Coloque los cubos de patata en la rejilla engrasada. Coloca la bandeja de goteo en el fondo de la cámara de cocción del horno Instant Vortex Air Fryer. Seleccione "Air Fry" y luego ajuste la temperatura a 355 °F. Ajuste el tiempo a 10 minutos y pulse "Start".

2. Cuando la pantalla muestre "Add Food", inserte la rejilla de cocción en la posición central. Cuando la pantalla muestre "Girar alimentos" no gire los alimentos. Mientras tanto, en un bol, añada la nata, los huevos y la harina y mezcle hasta que se forme una salsa espesa. Una vez terminada la cocción, retire la bandeja del Horno Vortex.

3. Repartir las rodajas de patata en 4 ramequines ligeramente engrasados y cubrirlas con la mezcla de huevo, seguida del queso.

4. Coloque los moldes sobre una rejilla de cocción. De nuevo, seleccione "Air Fry" y ajuste la temperatura a 390 °F. Ajuste el tiempo a 10 minutos y pulse "Start". Cuando la pantalla muestre "Add Food" inserte la rejilla de cocción en la posición central. Cuando la pantalla muestre "Turn Food" no gire los alimentos. Cuando termine el tiempo de cocción, retire los ramequines del Horno Vortex. Sirva caliente.

La nutrición:

Calorías 233,

Carbohidratos 31.g,

Grasa 8g,

Proteínas 9,7g

Edamame al ajo

Tiempo de preparación: 5 minutos

Tiempo de cocción: 10 minutos

Porciones: 4

Ingredientes:

- Aceite de oliva
- 1 bolsa (16 onzas) de edamame congelado en vainas
- sal y pimienta negra recién molida
- ½ cucharadita de sal de ajo
- ½ cucharadita de copos de pimienta roja (opcional)

Direcciones:

1. Rocíe una cesta de la freidora ligeramente con aceite de oliva.

2. En un bol mediano, añada el edamame congelado y rocíe ligeramente con aceite de oliva. Remover para cubrirlo.

3. En un bol, mezcle la sal de ajo, la sal, la pimienta negra y los copos de pimienta roja (si los utiliza). Añade la mezcla al edamame y revuélvelo hasta que quede uniformemente cubierto.

4. Coloque la mitad del edamame en la cesta de la freidora. No llene demasiado la cesta.

5. Fríe al aire libre durante 5 minutos. Agite la cesta y cocine hasta que el edamame empiece a dorarse y quedar crujiente, de 3 a 5 minutos más.

6. Repetir con el resto del edamame y servir inmediatamente.

7. Con qué acompañar: Son una buena guarnición para casi cualquier comida.

8. Fría al aire libre como un profesional: Si utilizas edamame fresco, reduce el tiempo de cocción al aire libre de 2 a 3 minutos para evitar que se cocine demasiado. El edamame frito al aire no conserva su textura crujiente, por lo que es mejor comerlo justo después de cocinarlo.

La nutrición:

Calorías: 100;

Grasa total: 3g;

Grasas saturadas: 0g;

Carbohidratos: 9g;

Proteínas: 8g;

Fibra: 4g;

Sodio: 496mg

Garbanzos picantes

Tiempo de preparación: 5 minutos

Tiempo de cocción: 20 minutos

Porciones: 4

Ingredientes:

- Aceite de oliva
- ½ cucharadita de comino molido
- ½ cucharadita de chile en polvo
- ¼ de cucharadita de pimienta de cayena
- ¼ de cucharadita de sal
- 1 lata (19 onzas) de garbanzos, escurridos y enjuagados

Direcciones:

- Rocíe una cesta de la freidora ligeramente con aceite de oliva.
- En un bol, combine el chile en polvo, el comino, la pimienta de cayena y la sal.
- En un bol mediano, añada los garbanzos y rocíelos ligeramente con aceite de oliva. Añade la mezcla de especias y revuelve hasta que se cubran uniformemente.

- Poner los garbanzos en la cesta de la freidora. Fríe al aire libre hasta que los garbanzos alcancen el nivel deseado de crujido, de 15 a 20 minutos, asegurándote de agitar la cesta cada 5 minutos.
- Fría al aire libre como un profesional: Creo que 20 minutos es el punto ideal para obtener garbanzos muy crujientes. Si los prefiere menos crujientes, cocínelos durante unos 15 minutos. Estos garbanzos son un gran vehículo para experimentar con diferentes mezclas de condimentos, como las 5 especias chinas, una mezcla de curry y cúrcuma, o hierbas de Provenza.

La nutrición:

Calorías: 122;

Grasa total: 1g;

Grasas saturadas: 0g;

Carbohidratos: 22g;

Proteínas: 6g;

Fibra: 6g;

Sodio: 152mg

Palitos de pizza con forma de huevo

Tiempo de preparación: 10 minutos

Tiempo de cocción: 5 minutos

Porciones: 4

Ingredientes:

1. Aceite de oliva

2. 8 piezas de queso en rama reducido en grasas

3. 8 envoltorios de huevo

4. 24 rebanadas de pepperoni de pavo

5. Salsa marinera, para mojar (opcional)

Direcciones:

- Rocíe una cesta de la freidora ligeramente con aceite de oliva. Llene un recipiente pequeño con agua.
- Coloque cada envoltorio de rollo de huevo en diagonal sobre una superficie de trabajo. Debe tener el aspecto de un diamante.
- Coloque 3 rebanadas de pepperoni de pavo en una línea vertical por el centro del envoltorio.
- Coloque 1 barra de queso mozzarella sobre el pepperoni de pavo.
- Dobla las esquinas superior e inferior del envoltorio del rollo de huevo sobre el palito de queso.
- Dobla la esquina izquierda sobre el palito de queso y enrolla el palito de queso para que parezca un rollito de primavera. Sumerge un dedo en el agua y sella el borde del rollo
- Repite con el resto de los palitos de pizza.
- Colóquelos en la cesta de la freidora en una sola capa, asegurándose de dejar un poco de espacio entre cada uno. Rocía ligeramente los palitos de pizza con aceite.

- Fría al aire libre hasta que los palitos de pizza estén ligeramente dorados y crujientes, unos 5 minutos.

- Lo mejor es servirlos calientes mientras el queso está derretido. Acompañar con un pequeño cuenco de salsa marinara, si se desea.

La nutrición:

Calorías: 362;

Grasa total: 8g;

Grasas saturadas: 4g;

Colesterol: 43 mg;

Carbohidratos: 40g;

Proteínas: 23g;

Fibra: 1g;

Sodio: 1.026mg

Chips de calabacín cajún

Tiempo de preparación: 10 minutos

Tiempo de cocción: 15 minutos

Porciones: 4

Ingredientes:

- Aceite de oliva
- 2 calabacines grandes, cortados en rodajas de ⅛ de grosor
- 2cucharadas de condimento cajún

Direcciones:

1. Rocíe una cesta de la freidora ligeramente con aceite de oliva.
2. Poner las rodajas de calabacín en un bol mediano y rociarlas generosamente con aceite de oliva.
3. Espolvoree el condimento cajún sobre los calabacines y remueva para asegurarse de que se cubren uniformemente con el aceite y el condimento.
4. Coloque las rebanadas en una sola capa en la cesta de la freidora, asegurándose de no llenarla demasiado.

5. Fría al aire libre durante 8 minutos. Dale la vuelta a las rebanadas y fríelas hasta que estén tan crujientes y doradas como prefieras, de 7 a 8 minutos más.

6. Fría al aire como un profesional: Para conseguir el mejor resultado, es importante no llenar demasiado la cesta de la freidora. Los chips de calabacín salen mejor si hay espacio para que el aire circule alrededor de cada rodaja. Puedes añadir tiempo de cocción si te gustan los chips de calabacín muy dorados y crujientes.

La nutrición:

Calorías: 26;

Grasa total: <1g;

Carbohidratos: 5g;

Proteínas: 2g;

Fibra: 2g;

Sodio: 286mg

Alitas de pollo crujientes Old Bay

Tiempo de preparación: 10 minutos

Tiempo de cocción: 15 minutos

Porciones: 4

Ingredientes:

- Aceite de oliva
- 2 cucharadas de condimento Old Bay
- 2cucharadas de levadura en polvo
- 2cucharadas de sal
- 2 libras de alas de pollo

Direcciones:

1. Rocíe una cesta de la freidora ligeramente con aceite de oliva.
2. En una bolsa grande con cierre, combine el condimento Old Bay, el polvo de hornear y la sal.
3. Secar las alas con toallas de papel.
4. Coloque las alitas en la bolsa con cierre, ciérrela y mézclela con la mezcla de condimentos hasta que quede uniformemente cubierta.

5. Coloque las alitas sazonadas en la cesta de la freidora en una sola capa. Rocíe ligeramente con aceite de oliva.

6. Fría al aire libre durante 7 minutos. Dar la vuelta a las alas, rociarlas ligeramente con aceite de oliva y freírlas al aire hasta que estén crujientes y ligeramente doradas, de 5 a 8 minutos más. Con un termómetro de carne, compruebe que la temperatura interna es de 165 °F o superior.

La nutrición:

Calorías: 501;

Grasa total: 36g;

Grasas saturadas: 10g;

Colesterol: 170mg;

Carbohidratos: 1g;

Proteínas: 42g;

Sodio: 2.527mg

Melocotones con canela y azúcar

Tiempo de preparación: 10 minutos

Tiempo de cocción: 13 minutos

Porciones: 4

Ingredientes:

- Aceite de oliva
- 2 cucharadas de azúcar
- ¼ de cucharadita de canela molida
- 4 melocotones, cortados en trozos

Direcciones:

1. Rocíe una cesta de la freidora ligeramente con aceite de oliva.

2. En un bol, combinar la canela y el azúcar. Añade los melocotones y revuélvelos para cubrirlos de manera uniforme.

3. Coloque los melocotones en una sola capa en la cesta de la freidora sobre sus lados.

4. Fríe al aire libre durante 5 minutos. Voltee los melocotones con la piel hacia abajo, rocíelos ligeramente con aceite y fríalos al aire hasta que los melocotones estén ligeramente dorados y caramelizados, de 5 a 8 minutos más.

5. Hazlo aún más bajo en calorías: Utiliza un sustituto del azúcar sin calorías, como Nutrisweet o edulcorante de fruta de monje, en lugar de azúcar granulado.

6. Fría al aire como un profesional: Estos no quedan realmente crujientes, sino que permanecen suaves, dulces y caramelizados. Son realmente deliciosos y son una maravillosa opción de postre.

La nutrición:

Calorías: 67;

Grasa total: <1g;

Carbohidratos: 17g;

Proteínas: 1g;

Fibra: 2g;

Sodio: 0mg

Alitas de pollo con hierbas provenzales en la freidora de aire

Tiempo de preparación: 15 minutos

Tiempo de cocción: 20 minutos

Porciones: 4

Ingredientes:

- 1kg de alitas de pollo
- Hierbas provenzales
- Aceite de oliva virgen extra
- Sal
- Pimienta molida

Direcciones:

1. Ponemos las alitas de pollo en un bol, limpias y troceadas.
2. Añadir unos hilos de aceite, sal, pimienta molida y espolvorear con hierbas provenzales.
3. Ligamos bien y dejamos macerar unos minutos, yo los tuve 15 minutos.
4. Ponemos las alitas en la cesta de la freidora de aire.
5. Seleccionamos 180 grados, 20 minutos.

6. De vez en cuando nos quitamos para que se hagan en todas sus caras.

7. Si vemos que se han dorado poco, ponemos unos minutos más.

8. Atendemos

La nutrición:

Calorías: 160

Grasa: 6

Carbohidratos: 8Proteínas

: 13

Chips de manzana

Tiempo de preparación: 10 minutos

Tiempo de cocción: 20 minutos

Raciones: 2

Ingredientes:

- 1 manzana, cortada en rodajas finas
- Sal al gusto
- ¼ de cucharadita de canela molida

Direcciones:

1. Precaliente la freidora de aire a 350 grados F.

2. Mezclar las rodajas de manzana con sal y
   canela.

3. Añadir a la freidora de aire.

4. Dejar enfriar antes de servir.

La nutrición:

Calorías: 59

Proteínas: 0,3 g.

Grasa: 0,2 g.

Carbohidratos: 15,6 g.

Plátanos endulzados

Tiempo de preparación: 5 minutos

Tiempo de cocción: 8 minutos

Porciones: 4

Ingredientes:

- 2 plátanos maduros, cortados en rodajas
- 2 cucharadas de aceite de aguacate
- Sal al gusto
- Jarabe de arce

Direcciones:

1. Mezclar los plátanos en el aceite.

2. Sazonar con sal.

3. Cocine en la cesta de la freidora de aire a 400 grados F durante 10 minutos, agitando después de 5 minutos.

4. Rocíe con jarabe de arce antes de servir.

La nutrición:

Calorías: 125

Proteínas: 1,2 g.

Grasa: 0,6 g.

Carbohidratos: 32 g.

Plátanos asados

Tiempo de preparación: 5 minutos

Tiempo de cocción: 5 minutos

Raciones: 2

Ingredientes:

- 2 tazas de plátanos, cortados en cubos
- 1 cucharadita de aceite de aguacate
- 1 cucharada de jarabe de arce
- 1 cucharadita de azúcar moreno
- 1 taza de leche de almendras

Direcciones:

1. Cubrir los cubos de plátano con aceite y jarabe de arce.

2. Espolvorear con azúcar moreno.

3. Cocine a 375 F en la freidora de aire durante 5 minutos.

4. Rocíe la leche sobre los plátanos antes de servir.

La nutrición:

Calorías: 107

Proteínas: 1,3 g.

Grasa: 0,7 g.

Carbohidratos: 27 g.

Pera crujiente

Tiempo de preparación: 10 minutos

Tiempo de cocción: 25 minutos

Raciones: 2

Ingredientes:

- 1 taza de harina
- 1 barra de mantequilla vegana
- 1 cucharada de canela
- ½ taza de azúcar
- 2peras, cortadas en cubos

Direcciones:

1. Mezclar la harina y la mantequilla para formar una textura desmenuzable.
2. Añadir canela y azúcar.
3. Poner las peras en la freidora.
4. Verter y extender la mezcla sobre las peras.
5. Cocine a 350 grados F durante 25 minutos.

La nutrición:

Calorías: 544

Proteínas: 7,4 g.

Grasa: 0,9 g.

Carbohidratos: 132,3 g.

Rollos de canela

Tiempo de preparación: 2 horas

Tiempo de cocción: 15 minutos

Porciones: 8

Ingredientes:

- 1 libra de masa de pan vegano
- ¾ de taza de azúcar de coco
- 1 y ½ cucharadas de canela en polvo
- 2 cucharadas de aceite vegetal

Direcciones:

- Enrollar la masa en una superficie de trabajo enharinada, dar forma de rectángulo y pincelar con el aceite.

- En un bol, mezclar la canela con el azúcar, remover, espolvorear esto sobre la masa, formar un tronco, cerrar bien y cortar en 8 trozos.

- Deje que los rollos suban durante 2 horas, colóquelos en la cesta de su freidora de aire, cocínelos a 350 grados F durante 5 minutos, déles la vuelta, cocínelos durante 4 minutos más y páselos a una bandeja.

- Que lo disfrutes.

La nutrición:

Calorías: 170

Proteínas: 6 g.

Grasa: 1 g.

Carbohidratos: 7 g.

Postre fácil de peras

Tiempo de preparación: 10 minutos

Tiempo de cocción: 25 minutos

Porciones: 12

Ingredientes:

1. 6peras grandes, sin corazón y picadas

2. ½ taza de pasas

3. 1 cucharadita de jengibre en polvo

4. ¼ de taza de azúcar de coco

5. 1 cucharadita de ralladura de limón

Direcciones:

- En un recipiente que se ajuste a su freidora de aire, mezcle las peras con las pasas, el jengibre, el azúcar y la ralladura de limón, remueva, introduzca en la freidora y cocine a 350 grados F durante 25 minutos.
- Dividir en cuencos y servir frío.
- Que lo disfrutes.

La nutrición:

Calorías: 200

Proteínas: 6 g.

Grasa: 3 g.

Carbohidratos: 6 g.

Mezcla de vainilla y fresa

Tiempo de preparación: 10 minutos

Tiempo de cocción: 20 minutos

Porciones: 10

Ingredientes:

1. 2 cucharadas de zumo de limón
2. 2 libras de fresas

3. 4 tazas de azúcar de coco

4. 1 cucharadita de canela en polvo

5. 1 cucharadita de extracto de vainilla

Direcciones:

- En una olla que se ajuste a su freidora de aire, mezcle las fresas con el azúcar de coco, el jugo de limón, la canela y la vainilla, revuelva suavemente, introduzca en la freidora y cocine a 350 grados F durante 20 minutos

- Dividir en cuencos y servir frío.

- Que lo disfrutes.

La nutrición:

Calorías: 140

Proteínas: 2 g.

Grasa: 0 g.

Carbohidratos: 5 g.

Plátanos dulces y salsa

Tiempo de preparación: 10 minutos

Tiempo de cocción: 20 minutos

Porciones: 4

Ingredientes:

1. Zumo de ½ limón
2. 3 cucharadas de néctar de agave
3. 1 cucharada de aceite de coco
4. 4plátanos, pelados y cortados en diagonal
5. ½ cucharadita de semillas de cardamomo

Direcciones:

- Disponga los plátanos en una sartén que se ajuste a su freidora de aire, añada el néctar de agave, el zumo de limón, el aceite y el cardamomo, introduzca en la freidora y cocine a 360 grados F durante 20 minutos
- Repartir los plátanos y la salsa en los platos y servir.
- Que lo disfrutes.

La nutrición:

Calorías: 210

Proteínas: 3 g.

Grasa: 1 g.

Carbohidratos: 8 g.

Manzanas con canela y salsa de mandarina

Tiempo de preparación: 10 minutos

Tiempo de cocción: 20 minutos

Porciones: 4

Ingredientes:

1. 4manzanas sin corazón, peladas y descorazonadas
2. 2 tazas de zumo de mandarina
3. ¼ de taza de jarabe de arce
4. 2cucharadas de canela en polvo
5. 1 cucharada de jengibre rallado

Direcciones:

- En una olla que se ajuste a su freidora de aire, mezcle las manzanas con el jugo de mandarina, el jarabe de arce, la canela y el jengibre, introduzca en la freidora y cocine a 365 grados F durante 20 minutos
- Repartir la mezcla de manzanas en los platos y servir caliente.
- Que lo disfrutes.

La nutrición:

Calorías: 170

Proteínas: 4 g.

Grasa: 1 g.

Carbohidratos: 6 g.

Barras de chocolate y vainilla

Tiempo de preparación: 10 minutos

Tiempo de cocción: 7 minutos

Porciones: 12

Ingredientes:

1. 1 taza de chispas de chocolate sin azúcar y vegano
2. 2 cucharadas de mantequilla de coco
3. 2/3 de taza de crema de coco
4. cucharadas de estevia
5. ¼ de cucharadita de extracto de vainilla

Direcciones:

- Poner la nata en un bol, añadir la stevia, la mantequilla y las pepitas de chocolate y remover
- Dejar reposar durante 5 minutos, remover bien y mezclar la vainilla.
- Transfiera la mezcla a una bandeja para hornear forrada, introduzca en su freidora de aire y cocine a 356 grados F durante 7 minutos.

- Dejar enfriar la mezcla, cortarla en rodajas y servirla.
- Que lo disfrutes.

La nutrición:

Calorías: 120

Proteínas: 1 g.

Grasa: 5 g.

Carbohidratos: 6 g.

Barras de frambuesa

Tiempo de preparación: 10 minutos

Tiempo de cocción: 6 minutos

Porciones: 12

Ingredientes:

1. ½ taza de mantequilla de coco, derretida

2. ½ taza de aceite de coco

3. ½ taza de frambuesas secas

4. ¼ de taza de swerve

5. ½ taza de coco rallado

Direcciones:

- En su procesador de alimentos, mezcle muy bien las bayas secas.

- En un bol que se adapte a su freidora de aire, mezcle el aceite con la mantequilla, el swerve, el coco y las frambuesas, mezcle bien, introduzca en la freidora y cocine a 320 grados F durante 6 minutos.

- Extiéndalo en una bandeja de horno forrada, guárdelo en la nevera durante una hora, córtelo en rodajas y sírvalo.

- Que lo disfrutes.

La nutrición:

Calorías: 164

Proteínas: 2 g.

Grasa: 22 g.

Carbohidratos: 4 g.

Crema de bayas de cacao

Tiempo de preparación: 10 minutos

Tiempo de cocción: 10 minutos

Porciones: 4

Ingredientes:

1. 3 cucharadas de cacao en polvo

2. 14 onzas de crema de coco

3. 1 taza de moras

4. 1 taza de frambuesas

5. 2 cucharadas de estevia

Direcciones:

- En un bol, bata el cacao en polvo con la stevia y la nata y remueva.

- Agregue las frambuesas y las moras, mezcle suavemente, transfiera a una sartén que se ajuste a su freidora de aire, introduzca en la freidora y cocine a 350 grados F durante 10 minutos.

- Dividir en cuencos y servir frío.

- Que lo disfrutes.

La nutrición:

Calorías: 205

Proteínas: 2 g.

Grasa: 34 g.

Carbohidratos: 6 g.

Pudín de cacao

Tiempo de preparación: 10 minutos

Tiempo de cocción: 20 minutos

Raciones: 2

Ingredientes:

1. 2 cucharadas de agua
2. ½ cucharada de agar
3. 4 cucharadas de estevia
4. 4 cucharadas de cacao en polvo
5. 2 tazas de leche de coco, caliente

Direcciones:

- En un bol, mezclar la leche con la estevia y el cacao en polvo y remover bien.
- En un bol, mezcle el agar con el agua, remuévalo bien, añádalo a la mezcla de cacao, remuévalo y transfiéralo a un molde para budín que se ajuste a su freidora de aire.
- Introducir en la freidora y cocinar a 356 grados F durante 20 minutos.
- Servir el budín frío.

- Que lo disfrutes.

La nutrición:

Calorías: 170

Proteínas: 3 g.

Grasa: 2 g.

Carbohidratos: 4 g.

Galletas de coco con arándanos

Tiempo de preparación: 10 minutos

Tiempo de cocción: 30 minutos

Porciones: 12

Ingredientes:

1. ½ taza de mantequilla de coco

2. ½ taza de aceite de coco derretido

3. 1 taza de arándanos

4. 3 cucharadas de azúcar de coco

Direcciones:

- En una olla que se ajuste a su freidora de aire, mezcle la mantequilla de coco con el aceite de coco, las frambuesas y el azúcar, mezcle, introduzca en la freidora y cocine a 367 grados F durante 30 minutos
- Extender en una bandeja de horno forrada, guardar en la nevera durante unas horas, cortar las galletas y servir.
- Que lo disfrutes.

La nutrición:

Calorías: 174

Proteínas: 7 g.

Grasa: 5 g.

Carbohidratos: 4 g.

Pudín de coliflor

Tiempo de preparación: 10 minutos

Tiempo de cocción: 30 minutos

Porciones: 4

Ingredientes:

1. 2½ tazas de agua

2. 1 taza de azúcar de coco

3. 2 tazas de arroz de coliflor

4. 2 palitos de canela

5. ½ taza de coco rallado

Direcciones:

- En una olla que se ajuste a su freidora de aire, mezcle el agua con el azúcar de coco, el arroz de coliflor, la canela y el coco, revuelva, introduzca en la freidora y cocine a 365 grados F durante 30 minutos
- Dividir el pudín en tazas y servirlo frío.
- Que lo disfrutes.

La nutrición:

Calorías: 203

Proteínas: 4 g.

Grasa: 4 g.

Carbohidratos: 9 g.

Ruibarbo dulce de vainilla

Tiempo de preparación: 10 minutos

Tiempo de cocción: 10 minutos

Porciones: 4

Ingredientes:

1. 5 tazas de ruibarbo picado

2. 2 cucharadas de mantequilla de coco derretida

3. 1/3 de taza de agua

4. 1 cucharada de estevia

5. 1 cucharadita de extracto de vainilla

Direcciones:

- Ponga el ruibarbo, el ghee, el agua, la stevia y el extracto de vainilla en una sartén que se ajuste a su freidora de aire, introduzca en la freidora y cocine a 365 grados F durante 10 minutos

- Dividir en pequeños cuencos y servir frío.

- Que lo disfrutes.

La nutrición:

Calorías: 103

Proteínas: 2 g.

Grasa: 2 g.

Carbohidratos: 6 g.

Pudín de piña

Tiempo de preparación: 10 minutos

Tiempo de cocción: 5 minutos

Porciones: 8

Ingredientes:

1. 1 cucharada de aceite de aguacate
2. 1 taza de arroz

3. 14 onzas de leche

4. Azúcar al gusto

5. 8 onzas de piña enlatada, picada

Direcciones:

- En su freidora de aire, mezcle el aceite, la leche y el arroz, revuelva, tape y cocine a temperatura alta durante 3 minutos.

- Añada el azúcar y la piña, remueva, tape y cocine en Alto durante 2 minutos más.

- Dividir en cuencos de postre y servir.

La nutrición:

Calorías: 154

Proteínas: 8 g.

Grasa: 4 g.

Carbohidratos: 14 g.

Mermelada de arándanos

Tiempo de preparación: 10 minutos

Tiempo de cocción: 11 minutos

Raciones: 2

Ingredientes:

1. ½ libra de arándanos

2. 1/3 de libra de azúcar

3. Cáscara de ½ limón, rallada

4. ½ cucharada de mantequilla

5. Una pizca de canela en polvo

Direcciones:

- Ponga los arándanos en su batidora, púlselos bien, cuélelos, páselos a su olla a presión, añada el azúcar, la ralladura de limón y la canela, remuévalos, tápelos y cuézalos a fuego lento en modo salteado durante 3 minutos.

- Añade la mantequilla, remueve, tapa la freidora y cocina a fuego alto durante 8 minutos.

- Pasar a un frasco y servir.

La nutrición:

Calorías: 211

Proteínas: 5 g.

Grasa: 3 g.

Carbohidratos: 6 g.

Mermelada de ciruela

Tiempo de preparación: 20 minutos

Tiempo de cocción: 8 minutos

Porciones: 12

Ingredientes:

1. 3 libras de ciruelas, sin hueso y cortadas en trozos grandes
2. 2 cucharadas de zumo de limón
3. 2 libras de azúcar

4. 1 cucharadita de extracto de vainilla

5. 3 onzas de agua

Direcciones:

- En su freidora de aire, mezcle las ciruelas con el azúcar y el extracto de vainilla, remueva y deje reposar durante 20 minutos

- Añade el zumo de limón y el agua, remueve, tapa y cocina a fuego alto durante 8 minutos.

- Dividir en cuencos y servir frío.

La nutrición:

Calorías: 191

Proteínas: 13 g.

Grasa: 3 g.

Carbohidratos: 12 g.

Panqueque de coco

Tiempo de preparación: 10 minutos

Tiempo de cocción: 20 minutos

Porciones: 4

Ingredientes:

1. 2 tazas de harina de repostería
2. 2 cucharadas de azúcar
3. 2huevos
4. 1 y ½ tazas de leche de coco
5. Un chorrito de aceite de oliva

Direcciones:

- En un bol, mezclar los huevos con el azúcar, la leche y la harina y batir hasta obtener una masa.
- Engrase su freidora de aire con el aceite, añada la masa, extiéndala en la olla, tápela y cocínela a fuego lento durante 20 minutos.
- Cortar la tortilla en rodajas, repartirla en los platos y servirla fría.

La nutrición:

Calorías: 162

Proteínas: 8 g.

Grasa: 3 g.

Carbohidratos: 7 g.

Manzanas y zumo de uva roja

Tiempo de preparación: 10 minutos

Tiempo de cocción: 10 minutos

Raciones: 2

Ingredientes:

1. 2manzanas

2. ½ taza de zumo de uva roja natural

3. 2 cucharadas de pasas

4. 1 cucharadita de canela en polvo

5. ½ cucharada de azúcar

Direcciones:

- Ponga las manzanas en su freidora de aire, añada el zumo de uva, las pasas, la canela y la stevia, remueva un poco, tape y cocine a velocidad alta durante 10 minutos.

- Dividir en 2 cuencos y servir.

La nutrición:

Calorías: 110

Proteínas: 3 g.

Grasa: 1 g.

Carbohidratos: 3 g.

Pudín de coco y aguacate

Tiempo de preparación: 2 horas

Tiempo de cocción: 2 minutos

Porciones: 3

Ingredientes:

1. ½ taza de aceite de aguacate

2. 4 cucharadas de azúcar

3. 1 cucharada de cacao en polvo

4. 14 onzas de leche de coco en lata

5. 1 aguacate, sin hueso, pelado y picado

Direcciones:

- En un bol, mezclar el aceite con el cacao en polvo y la mitad del azúcar, remover bien, pasar a un recipiente forrado, guardar en la nevera durante 1 hora y picar en trozos pequeños.
- En su freidora de aire, mezcle la leche de coco con el aguacate y el resto del azúcar, mézclelo con una batidora de inmersión, tape la olla y cocine en Alto durante 2 minutos.
- Añade los trozos de chocolate, remueve, divide el pudín en cuencos y guárdalo en la nevera hasta que lo sirvas.

La nutrición:

Calorías: 140

Proteínas: 4 g.

Grasa: 3 g.

Carbohidratos: 3 g.

Cuencos de cerezas y ruibarbo

Tiempo de preparación: 10 minutos

Tiempo de cocción: 35 minutos

Porciones: 4

Ingredientes:

1. 2 tazas de cerezas deshuesadas y partidas por la mitad
2. 1 taza de ruibarbo en rodajas
3. 1 taza de zumo de manzana
4. 2 cucharadas de azúcar
5. ½ taza de pasas.

Direcciones:

- En una olla que se ajuste a su freidora de aire, combine las cerezas con el ruibarbo y los demás ingredientes, mezcle, cocine a 330 grados F durante 35 minutos, divida en tazones, enfríe y sirva.

La nutrición:

Calorías: 212

Proteínas: 7 g.

Grasa: 8 g.

Carbohidratos: 13 g.

Cuencos de calabaza

Tiempo de preparación: 10 minutos

Tiempo de cocción: 15 minutos

Porciones: 4

Ingredientes:

1. 2 tazas de pulpa de calabaza, cortada en cubos
2. 1 taza de crema de leche
3. 1 cucharadita de canela en polvo
4. 3 cucharadas de azúcar
5. 1 cucharadita de nuez moscada molida

Direcciones:

- En una olla que se ajuste a su freidora de aire, combine la calabaza con la crema y los demás ingredientes, introduzca en la freidora y cocine a 360 grados F durante 15 minutos.
- Dividir en cuencos y servir.

La nutrición:

Calorías: 212

Proteínas: 7 g.

Grasa: 5 g.

Carbohidratos: 15 g.

Mermelada de manzana

Tiempo de preparación: 10 minutos

Tiempo de cocción: 25 minutos

Porciones: 4

Ingredientes:

1. 1 taza de agua

2. ½ taza de azúcar

3. Manzanas de 1 libra, sin corazón, peladas y picadas

4. ½ cucharadita de nuez moscada molida

Direcciones:

- En una olla que se adapte a su freidora de aire, mezcle las manzanas con el agua y los demás ingredientes, revuelva, introduzca la olla en la freidora y cocine a 370 grados F durante 25 minutos.

- Mezclar un poco con una batidora de inmersión, dividir en tarros y servir.

La nutrición:

Calorías: 204

Proteínas: 4 g.

Grasa: 3 g.

Carbohidratos: 12 g.

Crema de yogur y calabaza

Tiempo de preparación: 10 minutos

Tiempo de cocción: 30 minutos

Porciones: 4

Ingredientes:

1. 1 taza de yogur

2. 1 taza de puré de calabaza

3. 2 huevos, batidos

4. 2 cucharadas de azúcar

5. ½ cucharadita de extracto de vainilla

Direcciones:

- En un tazón grande, mezcle el puré y el yogur con los demás ingredientes, bata bien, vierta en 4 ramequines, póngalos en la freidora de aire y cocine a 370 grados F durante 30 minutos.

Enfriar y servir.

La nutrición:

Calorías: 192

Proteínas: 4 g.

Grasa: 7 g.

Carbohidratos: 12 g.

Mezcla de arroz con pasas

Tiempo de preparación: 10 minutos

Tiempo de cocción: 25 minutos

Porciones: 6

Ingredientes:

1. 1 taza de arroz blanco

2. 2 tazas de leche de coco

3. 3 cucharadas de azúcar

4. 1 cucharadita de extracto de vainilla

5. ½ taza de pasas

Direcciones:

- En la sartén de la freidora de aire, combine el arroz con la leche y los demás ingredientes, introduzca la sartén en la freidora y cocine a 320 grados F durante 25 minutos.
- Dividir en cuencos y servir caliente.

La nutrición:

Calorías: 132

Proteínas: 7 g.

Grasa: 6 g.

Carbohidratos: 11 g.

Cuencos de color naranja

Tiempo de preparación: 10 minutos

Tiempo de cocción: 10 minutos

Porciones: 4

Ingredientes:

1. 1 taza de naranjas, peladas y cortadas en gajos
2. 1 taza de cerezas deshuesadas y partidas por la mitad
3. 1 taza de mango, pelado y cortado en cubos
4. 1 taza de zumo de naranja
5. 2 cucharadas de azúcar

Direcciones:

- En la sartén de la freidora de aire, mezcle las naranjas con las cerezas y los demás ingredientes, mezcle y cocine a 320 grados F durante 10 minutos.
- Dividir en cuencos y servir frío.

La nutrición:

Calorías: 191

Proteínas: 4 g.

Grasa: 7 g.

Carbohidratos: 14 g.

Mermelada de fresa

Tiempo de preparación: 10 minutos

Tiempo de cocción: 25 minutos

Porciones: 8

Ingredientes:

1. 1 libra de fresas picadas
2. 1 cucharada de ralladura de limón
3. 1 y ½ tazas de agua
4. ½ taza de azúcar
5. ½ cucharada de zumo de limón

Direcciones:

- En la sartén de la freidora de aire, mezcle las bayas con el agua y los demás ingredientes, revuelva, introduzca la sartén en su freidora de aire y cocine a 330 grados F durante 25 minutos.
- Dividir en cuencos y servir frío.

La nutrición:

Calorías: 202

Proteínas: 7 g.

Grasa: 8 g.

Carbohidratos: 6 g.

Crema de caramelo

Tiempo de preparación: 10 minutos

Tiempo de cocción: 15 minutos

Porciones: 4

Ingredientes:

1. 1 taza de crema de leche

2. 3 cucharadas de jarabe de caramelo

3. ½ taza de crema de coco

4. 1 cucharada de azúcar

5. ½ cucharadita de canela en polvo

Direcciones:

- En un bol, mezclar la crema con el jarabe de caramelo y los demás ingredientes, batir, dividir en pequeños ramequines, introducir en la freidora y cocinar a 320 grados F y hornear durante 15 minutos.

- Dividir en cuencos y servir frío.

La nutrición:

Calorías: 234

Proteínas: 5 g.

Grasa: 13 g.

Carbohidratos: 11 g.

Peras envueltas

Tiempo de preparación: 10 minutos

Tiempo de cocción: 15 minutos

Porciones: 4

Ingredientes:

1. 4 hojas de hojaldre

2. 14 onzas de flan de vainilla

3. 2 peras, cortadas por la mitad

4. 1 huevo batido

5. 2 cucharadas de azúcar

Direcciones:

- Poner las láminas de hojaldre en una superficie limpia, añadir una cucharada de crema de vainilla en el centro de cada una, cubrir con las mitades de pera y envolver.

- Unte las peras con huevo, espolvoree azúcar y colóquelas en la cesta de su freidora de aire y cocínelas a 320 °F durante 15 minutos.

- Repartir los paquetes en los platos y servir.

La nutrición:

Calorías: 200

Proteínas: 6 g.

Grasa: 7 g.

Carbohidratos: 6 g.

Barras de limón

Tiempo de preparación: 10 minutos

Tiempo de cocción: 35 minutos

Porciones: 8

Ingredientes:

1. ½ taza de mantequilla derretida

2. 1 taza de eritritol

3. 1 y ¾ tazas de harina de almendra

4. 3 huevos, batidos

5. Zumo de 3 limones

Direcciones:

- En un tazón, mezcle 1 taza de harina con la mitad del eritritol y la mantequilla, revuelva bien y presione en una bandeja para hornear que se ajuste a la freidora de aire forrada con papel pergamino.

- Ponga el plato en su freidora de aire y cocine a 350 grados F durante 10 minutos.

- Mientras tanto, en un bol, mezcle el resto de la harina con el eritritol restante y los demás ingredientes y bata bien.
- Extienda esto sobre la corteza, ponga el plato en la freidora de aire una vez más y cocine a 350 grados F durante 25 minutos.
- Enfriar, cortar en barras y servir.

La nutrición:

Calorías: 210

Proteínas: 8 g.

Grasa: 12 g.

Carbohidratos: 4 g.

Donas de coco

Tiempo de preparación: 5 minutos

Tiempo de cocción: 15 minutos

Porciones: 4

Ingredientes:

1. 8 onzas de harina de coco
2. 1 huevo batido
3. y ½ cucharadas de mantequilla derretida
4. 4 onzas de leche de coco
5. 1 cucharadita de polvo de hornear

Direcciones:

- En un bol, pon todos los ingredientes y mézclalos bien.
- Forme los donuts con esta mezcla, colóquelos en la cesta de su freidora de aire y cocínelos a 370 grados F durante 15 minutos.
- Servir caliente.

La nutrición:

Calorías: 190

Proteínas: 6 g.

Grasa: 12 g.

Plan de comidas de 30 días

Día	Desayuno	Comida/cena	Postre
1	Sartén de camarones	Rollos de espinacas	Tarta de crepes de matcha
2	Yogur de coco con semillas de chía	Pliegues de queso de cabra	Mini tartas de calabaza con especias
3	Pudín de chía	Tarta de crepes	Barras de frutos secos
4	Bombas de grasa de huevo	Sopa de coco	Pastel de libra
5	Mañana "Grits"	Tacos de pescado	Receta de Tortilla Chips con Canela
6	Huevos escoceses	Ensalada Cobb	Yogur de granola con

			bayas
7	Sándwich de bacon	Sopa de queso	Sorbete de bayas
8	Noatmeal	Tartar de atún	Batido de coco y bayas
9	Desayuno al horno con carne	Sopa de almejas	Batido de plátano con leche de coco
10	Desayuno Bagel	Ensalada de carne asiática	Batido de mango y piña
11	Hash de huevo y verduras	Keto Carbonara	Batido verde de frambuesa
12	Sartén vaquera	Sopa de coliflor con semillas	Batido de bayas cargadas
13	Quiche de feta	Espárragos envueltos en prosciutto	Batido de papaya, plátano y col rizada
14	Tortitas de bacon	Pimientos rellenos	Batido de naranja verde

15	Gofres	Berenjenas rellenas de queso de cabra	Batido doble de bayas
16	Batido de chocolate	Curry Korma	Barras de proteínas energizantes
17	Huevos en sombreros de hongos Portobello	Barras de calabacín	Brownies dulces y con nueces
18	Bombas de grasa de matcha	Sopa de setas	Keto Macho Nachos
19	Keto Smoothie Bowl	Champiñones Portobello rellenos	Gelato de mantequilla de cacahuete, choco y plátano con menta
20	Tortilla de salmón	Ensalada de lechuga	Melocotones con canela y

			yogur
21	Hash Brown	Sopa de cebolla	Paleta de pera y menta con miel
22	Cazuela Bangin' de Black	Ensalada de espárragos	Batido de naranja y melocotón
23	Tazas de tocino	Tabbouleh de coliflor	Batido de manzana con especias y coco
24	Huevos con espinacas y queso	Salpicao de ternera	Batido dulce y de nueces
25	Taco Wraps	Alcachofa rellena	Batido de jengibre y bayas
26	Donas de café	Rollos de espinacas	Batido apto para vegetarianos
27	Tortilla de huevo al	Pliegues de queso de	Batido de ChocNut

	horno	cabra	
28	Risotto de rancho	Tarta de crepes	Batido de coco y fresa
29	Huevos escoceses	Sopa de coco	Batido de espinacas y bayas
30	Huevos fritos	Tacos de pescado	Batido de postre cremoso

Conclusión

Gracias por haber llegado hasta el final de este libro. Una freidora de aire es una adición relativamente nueva a la cocina, y es fácil ver por qué la gente se entusiasma con su uso. Con una freidora de aire, puede hacer patatas fritas crujientes, alas de pollo, pechugas de pollo y filetes en minutos. Hay muchos alimentos deliciosos que puedes preparar sin añadir aceite o grasa a tu comida. Una vez más, asegúrese de leer las instrucciones de su freidora de aire y de seguir las normas de uso y mantenimiento adecuados. Una vez que su freidora de aire esté en buenas condiciones de funcionamiento, puede ser realmente creativo y comenzar a experimentar su camino hacia la comida saludable que sabe muy bien.

Eso es todo. ¡Gracias!